LOS MAYAS

(en ruines)

par:

Javier Covo Torres

Producción Editorial Dante, S.A.

LOS MAYAS
(En las rocas)
Javier Covo Torres

1ª Ed. en francés 1992. Colección MONO-GRAMAS

© Producción Editorial Dante, S. A. de C. V.
Calle 59 Nº 548, C. P. 97000
Mérida, Yucatán, México

I. S. B. N. 970-605-028-0

Diseño: Javier Covo Torres

IMPRESO EN MEXICO
PRINTED IN MEXICO

A ESTEBAN...
Yucatèque insomniaque
(Et, soit dit en passant, mon fils)

LE TERRITOIRE DES MAYAS

Le territoire habité par les mayas occupait 400,000 km². Il correspond aux états mexicains du Yucatan, de Campeche, du Quintana Roo; une partie de Tabasco et du Chiapas; les républiques du Guatemala et Belize et un morceau du Honduras et du Salvador.

Pour mieux comprendre divisons l'aire maya en trois zones

LA ZONE NORD : elle comprend l'état du Yucatan, una partie de Campeche et du Quintana Roo

LA ZONE CENTRALE : La région du Peten, au Guatemala

LA ZONE SUD : Une partie du Salvador, du Guatemala et du Chiapas.

Golfe du Mexique

Yucatán
ZONE NORD

Campeche

Quintana Roo

Mer des Caraïbes

Tabasco

MEXIQUE

PETÉN
ZONE CENTRALE

BELICE

Chiapas

GUATEMALA

ZONE SUD

HONDURAS

LE SALVADOR

xxx Limites de l'aire maya
••• Aire de la culture maya
═ Limites internationales
--- Limites des états mexicains

LES ORIGINES

Qui sommes-nous?
D'où venons-nous?
Où allons-nous?

Ils sont plus égarés que le fils de Lindberg

Les chercheurs, "originologues", et autres savants s'y sont cassés les dents mais mystère et boule de gomme...

Un groupe d'anthropologues défend la théorie selon laquelle, de par ses caracté-ristiques physique (surtout la tête) les mayas seraient d'origine asiatique.

Moi chais pas mais entre le 2e et le 3e S. av. J.C. on était déjà là.

En l'an 1000 av. J.C. l'agriculture s'était développée et les peuples de Mésoamérique possédaient une culture homogène.

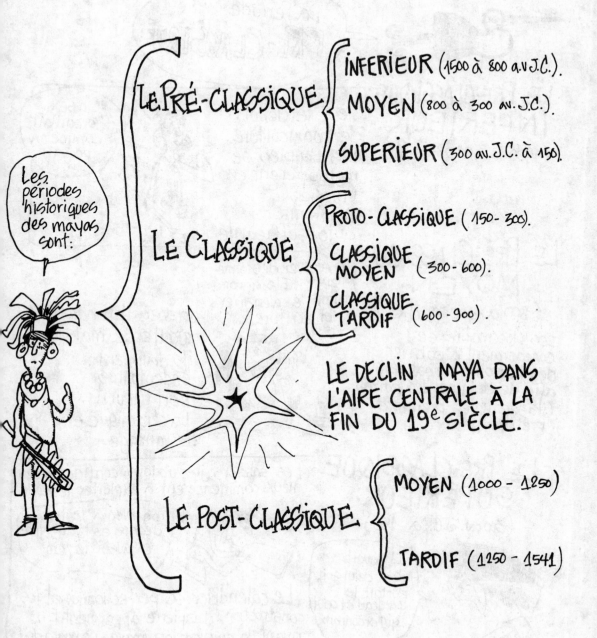

Les périodes historiques des mayas sont:

LE PRÉ-CLASSIQUE
- INFÉRIEUR (1500 à 800 a.v J.C.)
- MOYEN (800 à 300 av. J.C.)
- SUPÉRIEUR (300 av. J.C. à 150)

LE CLASSIQUE
- PROTO-CLASSIQUE (150-300).
- CLASSIQUE MOYEN (300-600).
- CLASSIQUE TARDIF (600-900).

LE DÉCLIN MAYA DANS L'AIRE CENTRALE À LA FIN DU 19e SIÈCLE.

LE POST-CLASSIQUE.
- MOYEN (1000-1250)
- TARDIF (1250-1541)

La Période
PRÉ-CLASSIQUE

LE PRÉ-CLASSIQUE INFÉRIEUR :
(1500 à 800 av. J.C.)

C'est le début de l'agriculture. Les peuples se regroupèrent en villages, à l'économie auto-suffisante.

On se débrouillait comme on pouvait.

LE PRÉ-CLASSIQUE MOYEN :
(800 à 300 AV. J.C.).

Les plus malins se consacraient à cultiver des pouvoirs surnaturels afin de dominer les autres (ils seront les premiers prêtres).

Arrivée des olmèques : Ils apportaient le calendrier et l'écriture.

Grâce à l'abondante récolte de maïs ils devinrent sédentaires. L'art fleurit : La céramique et le vannage.

LE PRÉ-CLASSIQUE SUPÉRIEUR :
(300 av. J.C. à 150).

Les sorciers jus u'alors confidents des dieux commencèrent à exploiter le peuple.

on inventa le truc d'écrire en hiéroglyphe et aussi le zéro

Il y avait déjà celui qui portait le fardeau et celui qui ordonnait

Le calendrier se perfectionna et les constructions de pierre apparurent. En avant la civilisation maya, camarade !

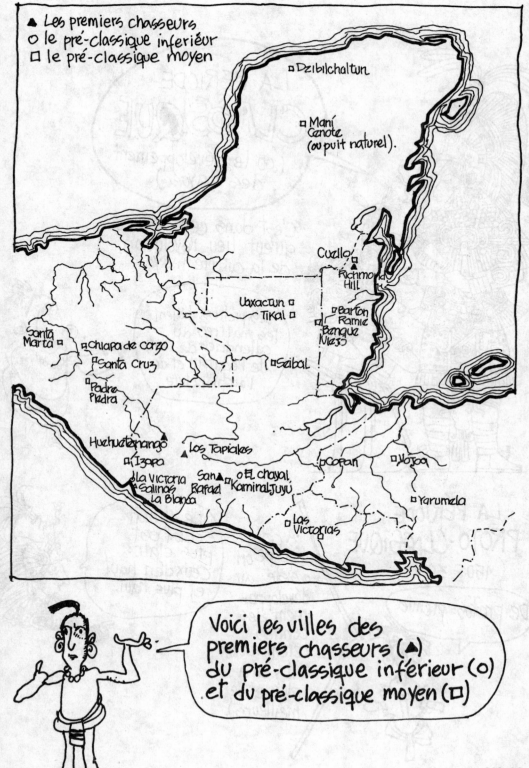

Les premiers chasseurs
le pré-classique inferiéur
le pré-classique moyen

Dzibilchaltun

Maní
Cenote
(ou puit naturel).

Cuello
Richmond Hill
Uaxactun
Tikal
Barton Ramie
Banque Viejo
Santa Marta
Chiapa de Corzo
Santa Cruz
Padre Piedra
Saibal
Huehuetenango
Los Tapiales
Izapa
Copan
Nojoa
La Victoria
Salinas
La Blanca
San Rafael
El chayal
Kaminaljuyú
Yarumela
Las Victorias

Voici les villes des
premiers chasseurs (▲)
du pré-classique inferieur (o)
et du pré-classique moyen (□)

LA PÉRIODE **CLASSIQUE**
(ou le développement des mayas).

C'est dans cette période qu'eut lieu l'évolution de la culture maya.

Les prêtres étaient les maîtres du calendrier de l'art, de l'écriture et de l'architecture.

LA PÉRIODE
PROTO-CLASSIQUE
(150 - 300)

De protos= premier

À cette époque on assiste, au développement des centres cérémoniaux (il y en a plus et de meilleurs).

Le climat social est plus clair: Ceux d'en haut et plus haut.

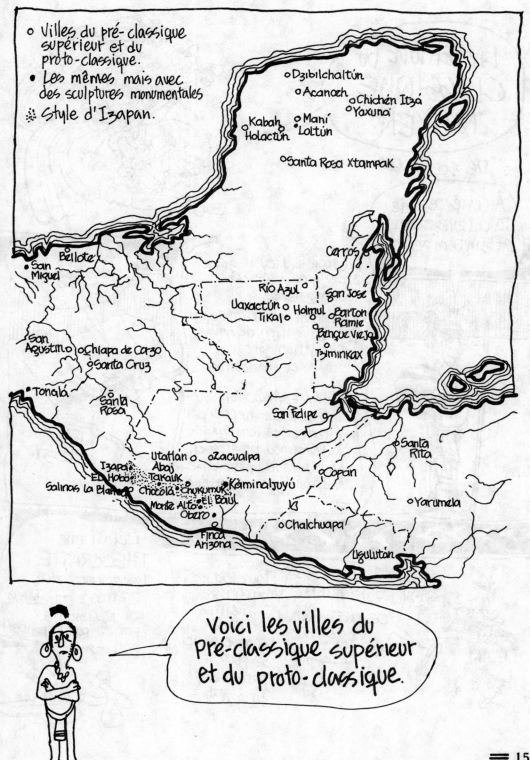

o Villes du pré-classique supérieur et du proto-classique.

• Les mêmes mais avec des sculptures monumentales

❀ Style d'Izapan.

Voici les villes du Pré-classique supérieur et du proto-classique.

LA PERIODE DU CLASSIQUE MOYEN.

De 300 à 600

À cette période la culture maya atteint son zénith

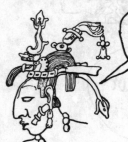

La société fleurit grâce à de gros progrès technologiques.

La culture en terrasses et l'utilisation de canaux d'irrigation font prospérer l'agriculture

Le fric coule à flot grâce au commerce intérieur et l'on assiste à d'énormes progrès en architecture, astronomie, mathématique et écriture.

Et tout ça, ça nous sert à quoi?

De rien. ce n'est rien, voyons.

Tous les progrès étaient utilisés comme arme de pouvoir par la classe dirigeante.

C'était une **THÉOCRATIE** (gouvernement des prêtres). entretenue par les impôts payés par le peuple

Et nous voilá arrivé à **LA PÉRIODE DU CLASSIQUE TARDIF** (600-900)

À ces sommets les mayas atteignent le point culminant de leur développement... La population s'accroît, le territoire aussi

Et les malins vivent des idiots.

Tu es sûr?

Des centres cérémoniaux apparaissent de tous les côtés.

Ce qui démontre l'exploitation sans pitié des masses au bénéfice d'une minorité aristocratique et religieuse.

La Noblesse, bon dieu!

≡ 17

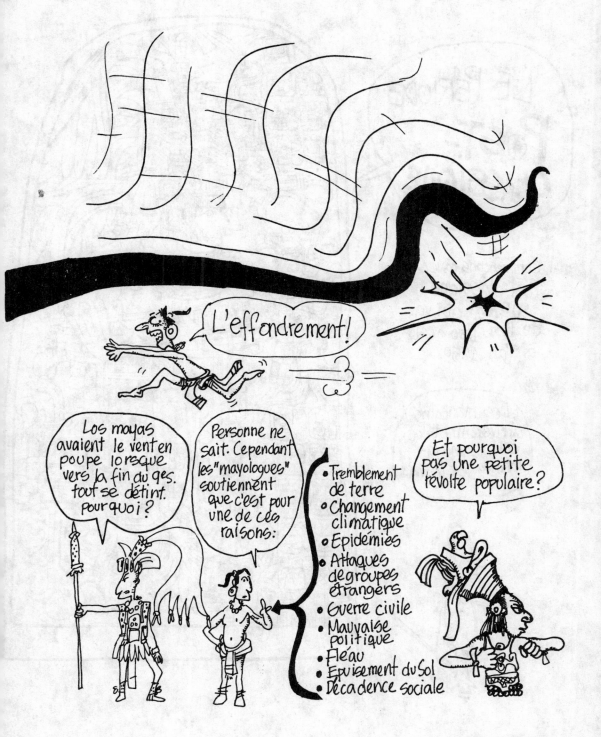

LE PÉRIODE POST-CLASSIQUE

Commençons avec le **Post-classique moyen** qui va de l'an 1000 av. JC. à l'an 1250.

Les mexicains arrivèrent et la culture maya-nahua se forma.

À cette époque le **Commerce** se renforce surtout entre le centre du mexique et l'Amérique centrale.

Les uns se rompent l'échine et les autres exportent.

Afin d'honorer les demandes du marché extérieur on intensifie les ruptures d'échine pour l'extraction de sel, la production de miel, de résine et de coton.

Tous pour un et un pour tous.

Les commerçants, la noblesse et les prêtres forment un front commun et pour garantir la production, mais c'est bien sûr: le

Militarisme

HORREUR!

Les Putunes sont arrivés!

Les quoi ?

Les Putunes... Il semblerait que le premier groupe à fouler le sol yucatèque ait été celui des **Chontales** ou **Putunes.**

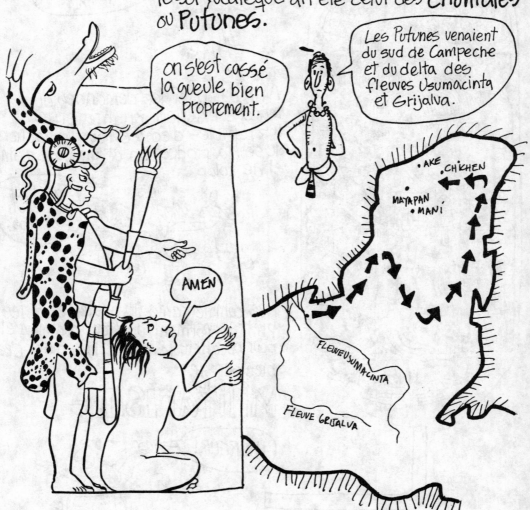

On s'est cassé la gueule bien proprement.

Les Putunes venaient du sud de Campeche et du delta des fleuves Usumacinta et Grijalva.

AMEN

AKE • CHICHEN

MAYAPAN • MANI

FLEUVE USUMACINTA

FLEUVE GRIJALVA

Les Itzaés sont arrivés!

Et Chichen Itzá fut. (berceau des Itzaés).

Les Itzaés étaient eux aussi d'origine Chontal ou Putún. Marins avertis ils connaissaient sur le bout du doigt les routes maritimes cernant la Péninsule du Yucatán

Île de Cozumel

AKÉ

CHICHEN ITZÁ

Mayapán

Maní

Ils s'installèrent sur l'île de Cozumel... il y a le ciel, le soleil et la mer...

Depuis Cozumel ils pénètrèrent la Péninsule et s'installèrent dans plusieurs endroits, entre autre à Chichen-Itzá, aux environs de 918.

Les itzáes dominaient un territoire considérable et entretenaient des relations bilatérales avec Tabasco et le sud de Campeche.

Et c'est par là qu'entra un autre groupe puton —de langue nahuatl— avec des influences de Tula. Ils arrivèrent à Chichen en 760.

Et le seigneur **Kukulcán** arriva dans le Yucatán.

Ils construisirent le château, le temple des guerriers, le jeu de paume et introduisirent la métallurgie.

Kukulcán négocia avec les seigneurs de l'endroit pour qu'ils le suivent à la cité nouvelle qu'il **voulait** fonder et en laquelle fleuriraient toutes choses.

Le gouvernement, le commerce et les arts.

Kukulcán fonda la ville de **Mayapan** (qui signifie "la bannière maya"). où il vécut en paix et en harmonie avec tous les seigneurs.

À la suite de quoi il s'en retourna à Mexico d'où il était venu.

Kukulcán était un tellement bon pape que nous le prenions pour Dieu.

MON DIEU!

Les Xives sont arrivés!

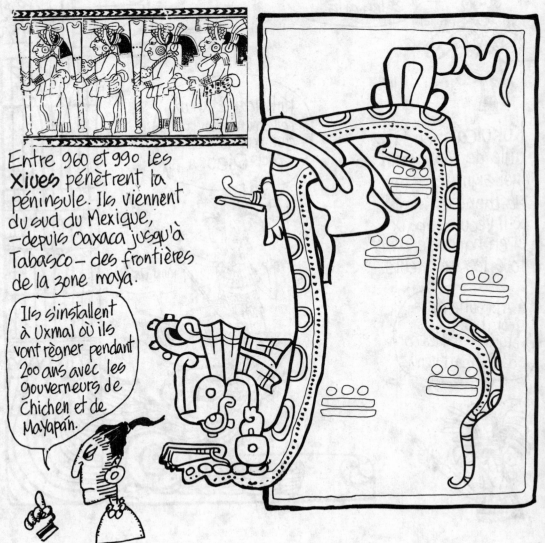

Entre 960 et 990 les **Xives** pénètrent la péninsule. Ils viennent du sud du Mexique, —depuis Oaxaca jusqu'à Tabasco— des frontières de la zone maya.

Ils s'installent à Uxmal où ils vont règner pendant 200 ans avec les gouverneurs de Chichen et de Mayapán.

LA PÉRIODE DU POST-CLASSIQUE TARDIF

(1250 - 1524 / 1541)

Où commence la désintégration Politico-socio-economico-culturelle des Mayas.

La pouvoir de **Mayapán** domine tout le nord de la péninsule du Yucatán.

Des terres communales? Y a plus.

Elles appartiennent maintenant aux nouveaux chefs: les guerriers et les commerçants

Des opprimés où ça?

Ils exploitent les contradictions sociales et une rébellion en finit avec les **Cocoms**, une famille qui gouvernait dans le Yucatan, et la ville est rayée de la carte. Alors apparaissent les cacicazgos (petits états indépendants) ...C'est ce que trouveront les espagnols.

○ Capitale de la province
• Villages

Les Cacicazgos à l'arrivée des barbus.

Mort aux infidèles!

Après la chute de **Mayapán**, les mayas se divisèrent en cacicazgos.
Alors commencèrent quatre-vingts années d'échec politique.
Les mayas étaient sur le déclin lorsqu'ils arrivèrent, ceux du vieux monde, les barbades... eux, les goths, les fortes-natures... eux, les **Espagnols**, qui apportaient en bloc, l'épée, la croix, et la vérole.

"¡ TOUCHÉ !"

Mayapan (à propos de sa "ligue") mérite bien un "flash" historique

Lequel vient à continuation.

Et viva España, bordel!

LA LIGUE DE MAYAPÁN

Le marché commun et le pacte de non-agression.

La "Ligue de Mayapán" est formée de Mayapán (of course), Uxmal, Chichen Itzá et d'autres villes-états de la région.

Une période d'amour et de paix qui va durer 200 ans.

C'est à cette époque que fleurit l'art maya-toltèque à Chichen Itzá.

C'était trop beau pour être vrai...
D'après les cancans officiels, la guerre éclata parce que ceux de Chichen avaient enlevé la fiancée d'un chef de Mayapán.

L'Hélène de Troie !

Et c'est un véritable merdier : ceux du Mayapán marchent sur les Itzáes et les écrasent. Puis vice et versa : les Itzáes attaquent à leur tour et s'emparent de la ville de Mayapán.

> Rrapapán, lève-toi Mayapán !

> Je me déçote sur le champ quelques mercenaires Nahua, j'en finis avec les Itzáes. Et je leur donne une part du gâteau.

← Chef Mayapán ruminant la défaite.

Et en effet: Mayapan imposa sa domination sur tout le Yucatán, implantant un gouvernement de caractère centraliste.

> Qui devint avec le temps exploiteur et despotique.

Si à cette époque l'art piétinait il y avait par ailleurs beaucoup de progrès.

On commença à utiliser le cuivre; et l'arc et la flèche firent leur apparition. Tellement utiles pour la guerre!... et pour la chasse, bien sûr.

¿Que se passe-t-il avec ceux-là?

Soit disant qu'ils n'ont même pas de quoi se nipper.

Sous la domination de Mayapán la vie n'était pas rose (enfin pour ceux qui n'avaient pas d'argent planqué en Suisse)

Le pouvoir monta à la tête de COCOM, le gouverneur de Mayapán.

Il se lia d'amitié avec les gens que les rois de Mexico avaient postés a Tabasco et leur promit de leur livrer la ville contre une part du gâteau

COCOM ramena des mexicas à Mayapán où il implanta un régime abusif et oppressif.

Cocom eut l'honneur d'être le premier maya à implanter l'esclavage.

Les richards de Mayapán ravalèrent leur honte et lui obéirent.

Et ça ne faisait que commencer: un petit cocom succéda à ce dernier (fait du même bois).

En avant fainéants.

Les successeurs de la famille Cocom prommettaient d'être pires que Cocom lui-même. Tyrannie, esclavage et opression étaient à l'ordre du jour.

Finalement on commença à intriguer.

Bzzz Bzzz

Les XIUES, qui avaient appris des mexicas à utiliser l'arc et la flèche s'unirent sous le commandement de TUTUL XIU, un républicain de la vieille garde.

À MORT LES COCOMES!

Los Xiues tuèrent Cocom et s'emparèrent de ses biens.

La fin de Mayapán marqua aussi la fin de la civilisation cérémoniale des mayas.

(et voici) LES GENERALITES

Où l'on raconte comment se comportaient les mayas sur les points suivants:

- SOCIÉTÉ
- POLITIQUE
- RELIGION
- ART
- SCIENCE
- COUTUMES
- COMMERCE
- INDUSTRIE
- AGRICULTURE

...et autres etceteras.

LA SOCIETE

Au sommet ceux qui sont et par conséquent sont : la **Noblesse**.

Au milieu (mais les yeux levés) : les **MARCHANDS**.

Et en bas, rampant comme de coutume : le **Peuple**.

LA NOBLESSE

Elle se composait de deux groupes.
1) Les **Ahkinoob**
2) Les **Almehenoob.**

Les **AHKINOOB** faisaient partie du groupe formé par les **Prêtres**, également dénommés "Ceux du soleil".

Les **ALMEHENOOB**, du groupe formé par les **seigneurs** (on disait d'eux qu'ils avaient père et mère).

Ils éclairaient ?

Le pire aurait été qu'ils n'aient pas de mère.*

* Jeu de mot intraduisible.

Moi, la seule chose qui m'intéresse c'est la hausse du maïs.

Les **MARCHANDS** formaient une classe intermédiaire, ni lard, ni cochon, mais désireuse d'appartenir à la noblesse.

Et enfin le **PEUPLE**, ou les communs des mortels, divisé en:

1) Les **AH CHEMBAL UINICOOB**
2) Les **YALBA UINICOOB**
3) Les **PPENCATOOB**.

Ils avaient peut-être beaucoup de **OOB** mais ils mangeaient de la M...

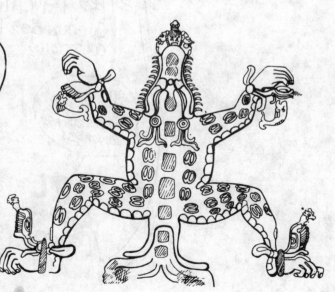

Ils passent leur temps à se plaindre!

1) Les **AH CHEMBAL UINCOOB**

Ce sont les "hommes inférieurs" encore appelés "hommes vulgaires".

Vulgaire? et ta 😣—soeur!

2) Les **YALBA UINICOOB**.

Aussi mal lotis que les Ah Chembal, ce sont les hommes (Yalba) de taille inférieure (on les connait aussi comme plébeiens).

3) Les **PENCATOOB**

Ou ceux des froids souterrains.

On pouvait être esclave pour les raisons suivantes:

a) Pour être né esclave

b) Pour être un prisonnier de guerre.

c) Pour voleur

d) Pour être un individu acheté

e) Pour être orphelin.

LA (Sale) POLITIQUE

Les petites gens de la noblesse étaient ceux-là
même du gouvernement (pardon pour la redondance).
La chose était ainsi :

> A genoux,
> tous.

Au sommet et écrasant
la masse il y avait le
HALACH UINIC
(ce qui signifie "Homme
véritable", "Roi", "Monarque"
et "Grand seigneur").
On l'appellait encore
Ahau et il remplissait des
fonctions civiles et religieuses.

> Le seigneur avait le dernier mot
> en politique intérieure et
> extérieure.

Sa charge était héréditaire
et passait aux mains de son
fils aîné, à défaut, aux mains
de son frère aîné.

Puis venaient ceux du Conseil, au nombre de 203.
Chacun avait le droit de vote au gouvernement et
sans leur approbation rien ne pouvait se décider.
On les nommait les **AH CUCHCAB**.

Les pots de vin sont à l'ordre du jour.

Ensuite il y avait les **BATABOOB**,
des chefs de moindre importance,
ils avaient des fonctions civiles et
religieuses.

Chaque **Batab**
possédait ses pro-
pres soldats. (Ils
étaient de plus chefs
militaires). bien qu'à
l'heure du combat tous
servaient le même chef.
suprême: Le **NACOM**

Ils appartenaient
à la famille même
du Halach-Uinic

Les Bataboob présidaient
le Conseil et prenaient soin
de l'entretien des maisons et
de ce que les gens paient
leur impôt au Halach-Uinic

Puis suivaient les AH KULELOOB, les "procureurs". Ils exécutaient les ordres du BATAB, qu'ils accompagnaient de partout. Les AH KULELOOB étaient au nombre de deux ou trois.

Ce que dit le **BATAB** est bien dit.

Et maintenant les AH HOLPOPOOB. (ce qui signifie "ceux qui sont en haut de la natte"). Ils aidaient au gouvernement et étaient chargés de la POPOLNA, ou maison où se réunissaient les hommes pour discuter les affaires publiques et apprendre les danses pour les fêtes.

Le A;t HOLPOP était le chanteur principal chargé des bals et des instruments de musique dans chaque village.

La Loi !

Et pour finir les TUPILES. Ils étaient les officiers de justice et exécutaient les ordres venus d'en haut.

LA RELIGION

Cet opium sans vergogne...

La religion des mayas était **POLYTHÉISTE**.

Nous avions des dieux tout autour du ventre.

Certain dieux faisaient bon ménage avec les gens, mais...

D'autres nous faisaient une vie d'enfer.

Une autre classe de dieux faisaient les deux à la fois.

Ceux qui représentaient les forces naturelles (eau, pluie, sécheresse...) Ils étaient vénérés avec un intérêt tout spécial.

Tu veux de la pluie? Tu pries CHAAC un point c'est tout.

LES CROYANCES

Je ne crois que ce que je vois.

Nous croyions (grâce à Dieu) en l'immortalité de l'âme et en l'existence d'un monde futur, amen.

Les Mayas croyaient que les prêtres, les guerriers morts sur le champ de bataille, les femmes mortes en couches et les sacrifiés aux dieux avaient droit à un ciel de 5 étoiles (avec sauna et tout).

Dans le plus élevé des ciels il y avait une Ceiba gigantesque —quelque chose comme la premier arbre du monde— au sommet de laquelle les âmes échauffées jouis-saient d'un repos céleste

faut souffrir pour gagner son ciel.

Le MITNAL —quelque chose comme l'enfer— était dirigé par AH PUCH de qui je ne veux pas parler.

FÊTES ET RITES RELIGIEUX

Les mayas croyaient dur comme fer que les prêtres savaient tout ce qui plaisait ou déplaisait aux dieux.

Qu'arrivait-il lorsque les prêtres se trompaient dans leurs prédictions ?

Ben, les dieux étaient de mauvaise humeur.

Pour les mayas l'existence était liée au temps, lequel influençait directement sur leur destin (ils croyaient en l'horoscope).

Chaque fête s'iniciait avec des exorcismes, des jeûnes et des abstinences. Et spécialment la bringue du jour de l'an qui se fêtait le premier jour du mois POP.

Les prêtres imposaient un jeûne de terreur.

—Il fallait convaincre le peuple !

On nettoyait chaque maison et on jetait la vaisselle. Les ordures de toute l'année étaient balancées hors du village

52

LE COSMOGONIE MAYA

Pour les mayas le monde était une surface plane et carrée avec les cieux en haut et les enters en bas.

Il y avait 13 ciels en couches superposées, dans chacune d'entre elles habitaient les dieux des mondes supérieurs, appelés *Oxlahuntikú*.

Il y avait aussi, en regardant vers le bas, neuf mondes truculents —également disposés en couches— et à chacun correspondait un dieu des religions inférieures appelé *Bolontikú*.

La terre était la première couche des 13 mondes supérieurs

Enfin le **Mitnal**, ou le monde le plus bas —la marmite— où résidait **AH PUCH**, le dieu de la mort (duquel je refuse de parler).

← AH PUCH mort de rire.

Aux quatre points cardinaux:
LES BACABS.

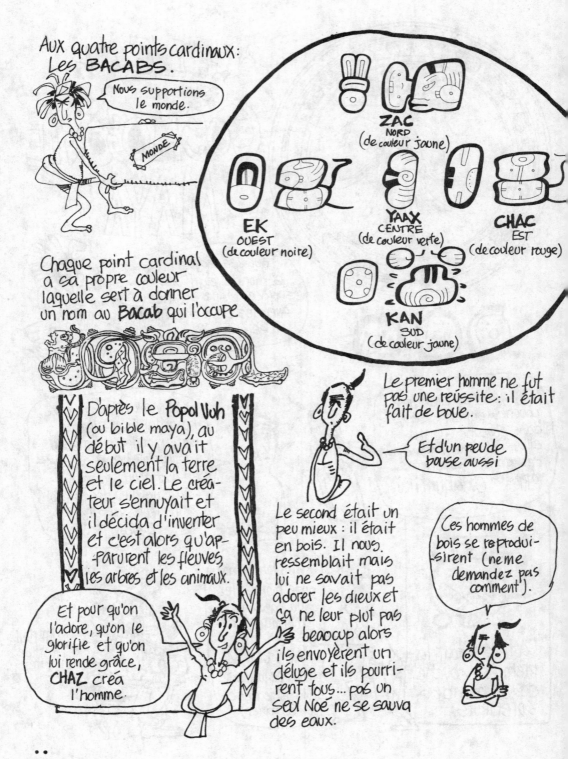

Nous supportons le monde.

MONDE

ZAC
NORD
(de couleur jaune)

EK
OUEST
(de couleur noire)

YAAX
CENTRE
(de couleur verte)

CHAC
EST
(de couleur rouge)

KAN
SUD
(de couleur jaune)

Chaque point cardinal
a sa propre couleur
laquelle sert à donner
un nom au Bacab qui l'occupe

D'après le Popol Vuh
(ou bible maya), au
début il y avait
seulement la terre
et le ciel. Le créa-
teur s'ennuyait et
il décida d'inventer
et c'est alors qu'ap-
parurent les fleuves,
les arbres et les animaux.

Et pour qu'on
l'adore, qu'on le
glorifie et qu'on
lui rende grâce,
CHAZ créa
l'homme.

Le premier homme ne fut
pas une réussite: il était
fait de boue.

Et d'un peu de
bouse aussi

Le second était un
peu mieux : il était
en bois. Il nous
ressemblait mais
lui ne savait pas
adorer les dieux et
ça ne leur plut pas
beaucoup alors
ils envoyèrent un
déluge et ils pourri-
rent tous... pas un
seul Noé ne se sauva
des eaux.

Ces hommes de
bois se reprodui-
-sirent (ne me
demandez pas
comment).

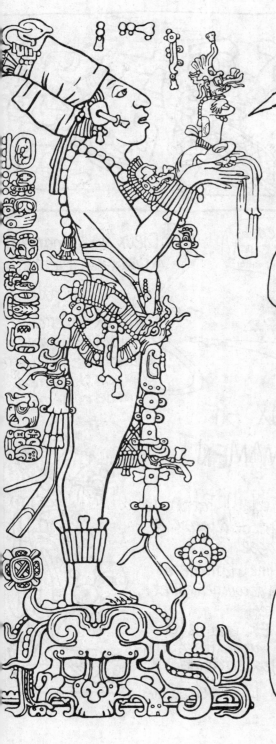

Un doigt de chair, deux de cervelle et quatre à l'étouffée

Finalement ils songèrent à créer des hommes en Maïs. Parfaitement mon ami, en maïs.

Ils firent la chair avec du maïs blanc et du maïs jaune.

Les quatre hommes —ou les quatre victimes— furent:

- BALAM - QUITZÉ
- BALAM - ACAB
- MAHUCUTAN
- IQUÍ - BALAM.

Le créateur eut la délicatesse de les doter d'une épouse

Et à partir de ce moment-là ce fut seulement une question de temps pour que surgissent les villages, les tribus, les villes et que le monde se peuple.

Les mayas avaient un dieu créateur du dernier cri, appelé **HUNAB-KU**

Et puis toute une série de dieux pour la pluie, l'ouragan, la sécheresse, etc, etc, etc.

L'on attribuait aux dieux mayas diverses origines et qualités contradictoires (ils étaient à la fois bons et mauvais)

La crème de la bondieuserie peut se diviser ainsi :

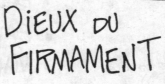

- ⊙ Dieux du firmament
- ⊙ Dieux des éléments
- ⊙ Dieux des patrons
- ⊙ Dieux souterrains (ou de l'infra-monde)
- ⊙ DIEUX DE LA GUERRE
- ⊙ Dieux du temps et des numéros.

DIEUX DU FIRMAMENT

KIN (Le soleil): Patron de la musique, de la poésie et de la chasse.

UH (La lune): Patronne du maïs, de l'accouchement et des récoltes.

XAMAN EK (Dieu de l'étoile polaire): Il protégeait les voyageurs et les marchands.

NOH EK: La planète Vénus.

LES DIEUX DES ELEMENTS

Il se trouvait en tête du panthéon maya, c'était un dieu bon et ami de l'homme. Il était le maître et seigneur des cieux, du jour et de la nuit.

Au premier rang dans la bureau-cratie céleste

Il était le saint patron de AHAU, le jour le plus important des 20 jours mayas

ITZAMNA (fils de Hunab-ku, le créateur).

ITZAMNA fut le premier prêtre, l'inventeur de l'écriture, des livres et on l'évo vait pour éviter les calamités publiques.

Ce fut lui qui donna leurs noms aux régions du Yucatán.

CHAAC

Chaac était le dieu de la pluie et de tout ce qui se rapporte à elle.

Les éclairs, la foudre, le tonnerre. Chaac protégeait l'agriculture et était intime de tous les dieux qui avaient quelque chose à voir avec elle.

CHAAC n'était pas un dieu unique sinon 4 dieux différents réunis en un seul.

Chaac représentait les 4 dieux des 4 points cardinaux, chacun avec sa couleur propre :

a) **CHAAC XIB CHAAC**, L'homme rouge, dieu de l'est.

b) **SAC XIB CHAAC**, Le blanc, Chaac du nord.

c) **EK XIB CHAAC**, Le noir, Chaac du sud.

d) **KAN XIB CHAAC**, Le jaune, Chaac du sud.

De l'eau, Chaac, De l'eau.

En plus de Chaac, il y avait les **CHAQUES**, quatre aides auxquels vieux Chaac déléguait ses pouvoirs.

Sans salaire fixe ni pourcentage d'augmentation en rapport avec l'inflation galopante.

Les Chaques portaient des courges remplies d'eau, des sacs pleins de vent (sachez-le) et un tambour.

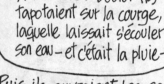

A l'heure du boulot ils tapotaient sur la courge, laquelle laissait s'écouler son eau — et c'était la pluie —

Puis ils ouvraient les sacs et les vents s'échappaient. Un coup de tambour et c'était le tonnerre.

Ils avait aussi 4 frères : les **BACABES**

Les **BACABES** étaient chargés de protéger l'humanité en soutenant le ciel aux 4 points cardinaux afin d'éviter que toute son eau ne se déversa sur la terre.

Selon les années les **BACABES** portaient bonheur ou malheur.

LES DIEUX PATRONS

Commençons par **IXCHEL** la femme d'Itzamná. Associée à la femme, elle était la déesse de la médecine et de la procréation.
Elle était liée à l'eau et on pensait qu'elle vivait dans les lacs, les lagunes et les cénotes.

Basta Ixchel! Nous sommes déjà 80 millions. Ne nous gâte pas tant!

IXTAB me voila

IXTAB était la déesse du suicide. Les mayas pensaient que les suicidés allaient direct au paradis.

Le taux de pendaison devait être impressionnant chez les mayas.

CLUB DES AMANTS D'IXTAB.

EK CHUAH était le dieu des marchands et le patron du cacao. C'était un dieu à double tranchant :

> Quand il est bon il protège les commerçants.

> Et quand il est méchant, il est associé à la guerre.

> CHUAH-CHUAH, EK CHUAH, Lâche l'oseille, CHUAH-CHUAH.*

* Marchand en temps de crise.

Et maintenant voici le seigneur des champs et de l'agriculture, le dieu du maïs : **YOM KAX**

YOM KAX était le patron des labours et il avait beaucoup d'ennemis. Son destin était lié aux dieux de la pluie, de la sécheresse, du vent, de la faim et de la mort.

> KAX-KAX YUM-KAX

Pour en terminer avec cette ribambelle de dieux patrons, il nous reste à mentionner les **MUCEMCABOOB**, dieux des abeilles et maîtres du bois.

Les **MAMES** étaient les dieux du mal, ils n'apparaissaient qu'en temps de crise.

BZZZZ-z-z-z

> SAUVE QUI PEUT !!

...

LES DIEUX SOUTERRAINS

Ou de l'infra-monde

AH PUCH,
DIEU DE LA MORT.

Je vous présente Don **AH PUCH** gérant général de Démons et Cie.

De qui je ne roulais pas parler !

C'était —si vous ne vous en étiez pas rendu compte— un dieu malveillant, associé du dieu de la guerre et des sacrifices.

Ses amis sont le **Chien**, l'oiseau **Moan** et la **chouette** (des oiseaux de mauvais augure).

Le dieu **Jaguar** et les **Bolontiku** complètent l'assemblée infernale.

LES DIEUX DE LA GUERRE

¡CHUC!

Ces dieux accompagnent AH PUCH (le dieu de la mort) dans ses incursions.

Vu comme vont les choses ces dieux doivent toujours se par ici.

Les jours, les mois et les chiffres de 1 à 13 étaient des dieux : Les dieux du **Temps** et des **Chiffres**.

J'adore le neuf s'il est suivi de six zéro.

premier

deuxième   **troisième**

quatrième   **cinquième**   **sixième**

septième   **huitième**   **neuvième**

Hiéroglyphes des noms des 9 divinities des régions truculentes.

Et nous ne pouvions décemment pas clore ce chapitre sans mentionner KUKULCAN, l'homme fait dieu, à qui l'on attribue d'avoir baptisé les endroits, réparti les terres —sans réforme agraire— et inventé l'écriture.

Les olmèques (avant les mayas) avaient inventé un système de registre du temps avec lequel ils formèrent un système d'astronomie et de mathématique applicable aux cultures.

Pour les besoins de l'agriculture ils inventèrent l'écriture, les règles mathématiques et les calendriers.

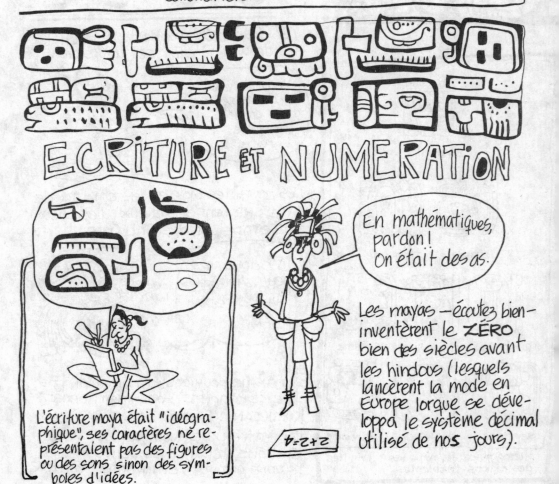

ÉCRITURE et NUMÉRATION

En mathématiques, pardon! On était des as.

L'écriture maya était "idéographique", ses caractères ne représentaient pas des figures ou des sons sinon des symboles d'idées.

Les mayas —écoutez bien— inventèrent le ZÉRO bien des siècles avant les hindous (lesquels lancèrent la mode en Europe lorque se développa le système décimal utilisé de nos jours).

2+2=4

Pour la représentation graphique d'une quantité les mayas n'utilisaient que trois signes.

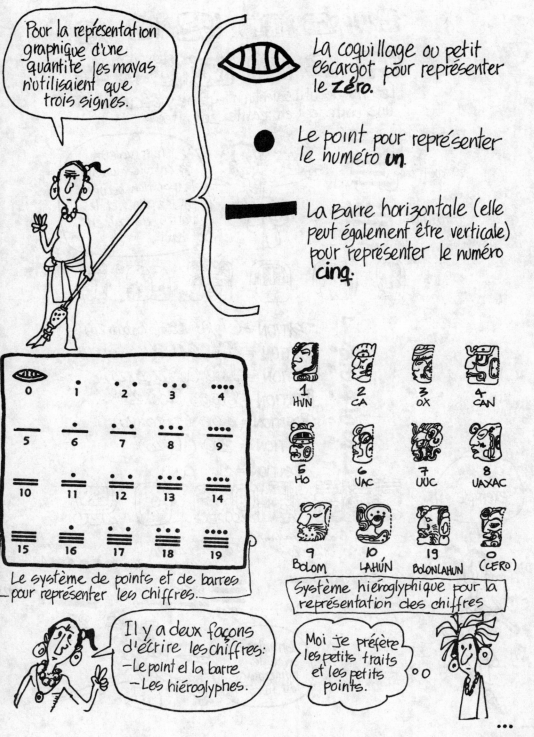

La coquillage ou petit escargot pour représenter le **zéro**.

Le point pour représenter le numéro **un**.

La Barre horizontale (elle peut également être verticale) pour représenter le numéro **cinq**.

0	1	2	3	4
5	6	7	8	9
10	11	12	13	14
15	16	17	18	19

Le système de points et de barres pour représenter les chiffres.

1 HUN	2 CA	3 OX	4 CAN
5 HO	6 UAC	7 UUC	8 UAXAC
9 BOLOM	10 LAHÚN	19 BOLONLAHUN	0 (CERO)

Système hiéroglyphique pour la représentation des chiffres

Il y a deux façons d'écrire les chiffres:
- Le point el la barre
- Les hiéroglyphes.

Moi je préfère les petits traits et les petits points.

...

Les mayas utilisaient un sytème **VIGÉCIMAL** où une unité est en réalité 20 unités.

3e Position
2e Position
1ere position

Et leur valeur se calcule suivant la position occupée par les points et les barres de bas en haut.

7e POSITION = 64.000.000 (3.200.000 x 20)
6e POSITION = 3.200.000 (160.000 x 20)
5e POSITION = 160.000 (8000 x 20)
4e POSITION = 8.000 (400 x 20)
3e POSITION = 400 (1 x 20 x 20)
2e POSITION = 20 (1 x 20)
1ere POSITION = 1 (UN)

Par exemple:

(Deuxième position)
• = 1 x 20 = 20

En première position c'est ZERO
20

• = 1 x 20 = 20
(deuxième position)

5+5+5 = 15
(en première position)
35

(deuxième position)
•••• = 4 x 20 = 80

(en première position)
= 5
85

Entraîne-toi avec le numérotage du livre.

LES CALENDRIERS

Il y a deux sortes de calendrier

- Le TZOLKIN calendrier sacré de 260 jours.

- Le HAAB calendrier civil de 365 jours.

Le TZOLKÍN ou calendrier sacré

Ik   Eb
Akbal   Ben
Kan   Ix
Chicchan   Men
Cimi   Cib
Ma...   Caban
Lamat   Eznab
Muluc   Cauac
Oc   Ahau
Chuen   Imix

HIÉROGLYPHES DES 20 JOURS.

Les mayas avaient 20 nombres désignant les jours lesquels se succédaient et étaient représentés par des hiéroglyphes

Ça serait pas mieux: lundi, mardi, mercredi, etc...

Et les mois?

Le TZOLKÍN ne se divisait pas en mois. Il était composé de 260 jours qui se formaient en ajoutant les numéros de 1 à 13 aux vingt hiéro-glyphes des jours mayas.

Quezaco?

Chaque jour est précédé de son chiffre.

A SAVOIR:

1. IK
2. AKBAL
3. KAN
4. CHICCAN
5. CIMÍ
6. MANIK
7. LAMAT
8. MULUC
9. OC
10. CHUEN

11. EB
12. BEN
13. IX
14 . . .

comme nous avons 13 nombres et 20 noms de jours, ici les choses changent.

Arrivés à 14, nous recommençons avec 1. exemple:

1. MEN
2. CIB et ETCÉTÉRAS...

La combinaison des vingt noms et des 13 jours donné un resultat de 260 jours.

Ou le même nom —et nombre— nese répète pas avant 260 jours.

✳ Voir tableau ci dessous.

TABLA No. 1 CALENDARIO TZOLKIN

IK	1	8	2	9	3	10	4	11	5	12	6	13	7
AKBAL	2	9	3	10	4	11	5	12	6	13	7	1	8
KAN	3	10	4	11	5	12	6	13	7	1	8	2	9
CHICCHAN	4	11	5	12	6	13	7	1	8	2	9	3	10
CIMI	5	12	6	13	7	1	8	2	9	3	10	4	11
MANIK	6	13	7	1	8	2	9	3	10	4	11	5	12
LAMAT	7	1	8	2	9	3	10	4	11	5	12	6	13
MOLUC	8	2	9	3	10	4	11	5	12	6	13	7	1
OC	9	3	10	4	11	5	12	6	13	7	1	8	2
CHUEN	10	4	11	5	12	6	13	7	1	8	2	9	3
EB	11	5	12	6	13	7	1	8	2	9	3	10	4
BEN	12	6	13	7	1	8	2	9	3	10	4	11	5
IX	13	7	1	8	2	9	3	10	4	11	5	12	6
MEN	1	8	2	9	3	10	4	11	5	12	6	13	7
CIB	2	9	3	10	4	11	5	12	6	13	7	1	8
CABAN	3	10	4	11	5	12	6	13	7	1	8	2	9
EZNAB	4	11	5	12	6	13	7	1	8	2	9	3	10
CAUAC	5	12	6	13	7	1	8	2	9	3	10	4	11
AHAU	6	13	7	1	8	2	9	3	10	4	11	5	12
IMIX	7	1	8	2	9	3	10	4	11	5	12	6	13

Le **Tzolkín** fut le calendrier le plus diffusé en Mésoamérique et était de plus celui utilisé par le peuple.

13 manik.... 4 muluk... 10 kauak... appelez les comme vous voudrez...

Le fardeau n'en pèse pas moins

La vie quoti-dienne était administrée par le **Tzolkín**, encore connu comme "Le compte des jours".

On se basait sur le **Tzolkín** pour déterminer les époques du brûlage des terres et des semences.

et des guerres!!

La vie et le destin du maya étaient tracés selon le jour de sa naissance dans le **Tzolkín**

Le CALENDRIER HAAB ou civil.

Pop — Uo — Zip — Zotz — Tzec — Xul — Yaxkin — Mol — Chen — Yax

Zac — Ceh — Mac — Kankin — Muan — Pax — Kavab — Cumhu — Uayeb

— Hiéroglyphes des 19 mois du calendrier HAAB —

En plus du TZOLKIN les mayas avaient un calendrier de 365 jours appelé **HAAB**.

Oh! année vagabonde...

Ce calendrier était partagé en 19 mois, 18 de 20 jours et un de cinq jours de bringue appelé **UAYEB**.

Un mois avec cinq jours de fêtes!

Chaque jour du calendrier TZOLKIN correspond à un jour du calendrier HAAB.

Cette combinaison est connue comme "La date de la roue".

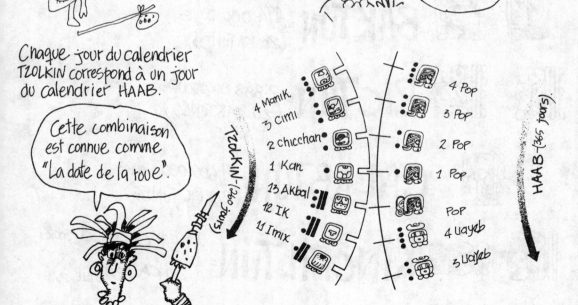

TZOLKIN - (260 jours)

4 Manik
3 Cimi
2 chicchan
1 Kan
13 Akbal
12 IK
11 Imix

4 Pop
3 Pop
2 Pop
1 Pop
Pop
4 Uayeb
3 Uayeb

HAAB - (365 jours)

KIN = UN JOUR

  VINAL = 20 JOURS

Voici les périodes utilisées pour mesurer le temps (avec en prime son hiéroglyphe).

  TUN = 360 JOURS

  KATÚN = 7.200 JOURS
(ou 20 TUNES)

  BAKTÚN = 114 000 JOURS
(20 KATUNES)

  PICTÚN = 2 888 000 JOURS
(20 BAKTUNES)

 CALABTÚN = 57 600 000 JOURS
(20 PICTUNES)

  KINCHILTÚN = 1 152 000 000 JOURS
(20 CALABTUNES)

LES ARTS et METIERS

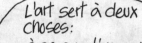

L'art sert à deux choses:
- à ce que l'on nous croit
- à ce que l'on nous respecte.

1. AFIN DE STIMULER LA FOI:
On construisit des pyramides et des temples avec des représenta-tions des dieux (et du peuple agenouillé).

2. AFIN DE FLATTER LES GOUVERNANTS:
On fit des bas-reliefs, des stèles et des linteaux à leur image et qui vantaient leur puissance.

Les origines de l'architecture maya remontent à la hutte de paille au toit incliné en deux pentes.

C'est la base de la voûte de pierre en saillie maya.

Exemples de voûtes mayas.

Et les pyramides, alors ?

Las pyramides servaient de base aux temples (les tous petits que l'on voir au sommet). et elles pouvaient mesurer jusqu'à 45 mètres de haut.

On soufflait comme des boeufs pendant la montée

¡YA VOOOY!

Exceptionnellement certaines pyramides furent construites sur des tombes comme c'est le cas du temple des Inscriptions à Palenque.

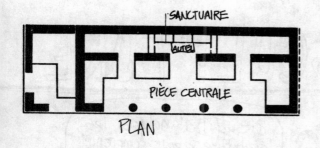

SANCTUAIRE

AUTEL

PIÈCE CENTRALE

PLAN

Les maisons des nobles étaient comme ça.

sans intérêt social.

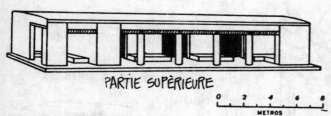

PARTIE SUPÈRIEURE

0 2 4 6 8
METROS

Elles étaient en pierre et leur toît plat était armé de poutres de bois avec au dessus une couche en dur (de 30 cm. d'épaisseur). On ignore leur hauteur exacte

Les façades des édifices variaient selon les zones du territoire maya et servent à établir les styles architectoniques qui sont:

- Celui du **PETEN** Antique
- Le **PUUC**
- Celui de **CHICHEN**
- Le **CHENES**
- Celui du **FLEUVE BEC**.

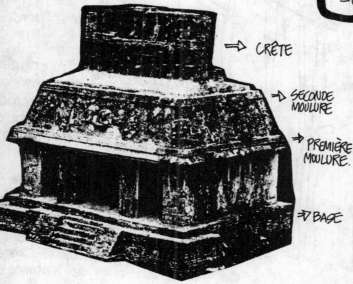

⇒ CRÊTE

⇒ SECONDE MOULURE

⇒ PREMIÈRE MOULURE.

⇒ BASE

Les facades mayas étaient divisées en deux moulures:

• La première, à la moitié du bâtiment

• La seconde, à peu près jusqu'au sommet.

La crête était coloquée sur le toit, elle élevait l'édifice et était décorée avec soin.

LA SCULPTURE

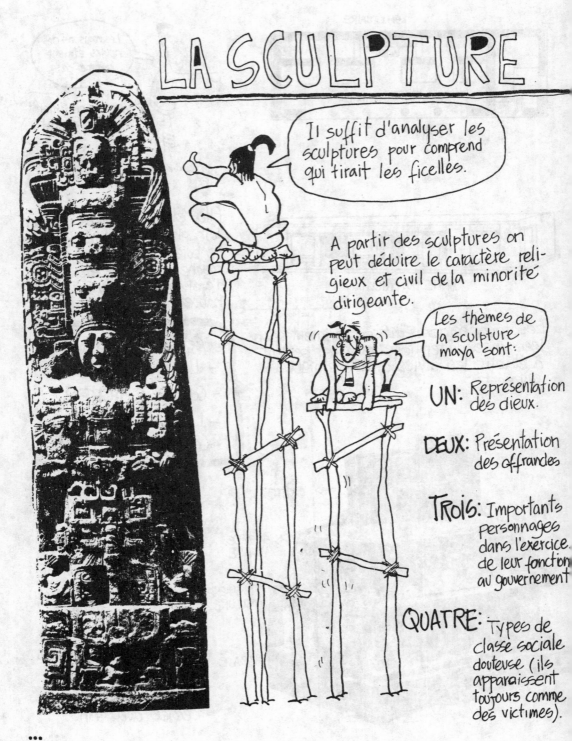

Il suffit d'analyser les sculptures pour comprend qui tirait les ficelles.

A partir des sculptures on peut déduire le caractère religieux et civil de la minorité dirigeante.

Les thèmes de la sculpture maya sont:

UN: Représentation des dieux.

DEUX: Présentation des offrandes

TROIS: Importants personnages dans l'exercice de leur fonction au gouvernement

QUATRE: Types de classe sociale douteuse (ils apparaissent toujours comme des victimes).

1. Extraction de la pierre

Pour la sculpture ils utilisaient les matériaux suivants:

- **PIERRE CALCAIRE**
- **PIERRE SABLONNEUSE**
- **ANDÉSITE** — Une pierre volcanique uniquement utilisée à Copan.

- **BOIS** — Pour les linteaux gravés

- **ARGILE** ou **BOUE** — Pour modeler des idoles en forme d'encensoir.

- **STUC** — Utilisé pour la décoration des édifices.

2. Transport de la pierre.

3. Lever de la pierre

4. Gravure de la pierre

LA PEINTURE

On l'utilisait pour la décoration des murs, de la céramique et des manuscrits.

> Le plus difficile ce sont ces coiffures d'enfer qu'ils utilisent.

Les couleurs utilisées sont extraites des végétaux et des minéraux suivants :

Le **ROUGE** — est extrait de l'hématite.
Le **JAUNE** — d'une variété d'argile.
Le **NOIR** — du charbon.
Et le **BLEU** — j'sais pas.

> Ils faisaient toutes les combinai--sons possibles et imaginables; nuances de rouge, de jaune et de vert.

Nous connaissons la peinture maya grâce à des fresques datant du classique moyen (5e siècle) au post-classique tardif (15e siècle).

> Il y a tant à faire pour l'art et je suis là peignant des manuscrits...

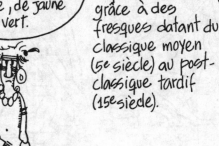

LA CERAMIQUE

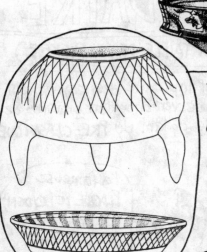

Dans la période **PRÉ-CLASSIQUE** la décoration de la céramique consistait à faire des incisions ou des lignes sur la poterie à l'aide d'un quelconque objet.

On utilisait aussi les ongles.

Lors du **PROTO-CLASSIQUE** on innova dans la décoration: Utilisation de 2 couleurs et de motifs géométriques simples.
Arrivé au **CLASSIQUE** on utilisait toutes les couleurs et les thèmes représentent des animaux stylisés, des inscriptions en hiéroglyphes, des personnages civils et des symboles religieux.

Enfin dans le **POST-CLASSIQUE** apparaît la céramique orangée: de nouvelles formes, une finition plombée et une décoration sculptée, gravée, ou imprimée avec un sceau.

••••

L'ART >>>>>> LAPIDAIRE
(LA TAILLE DE LA PIERRE)

L'art lapidaire des mayas peut s'observer dans leur gravures de jade datant du **PRÉ-CLASSIQUE**.

La fameuse **PLAQUE DE LEYDEN**, l'un des objets gravés les plus anciens, date de l'an 320 et mesure 21 cm. de long.

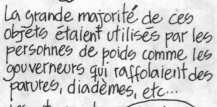

La grande majorité de ces objets étaient utilisés par les personnes de poids comme les gouverneurs qui raffolaient des parures, diadèmes, etc...

Les autres arts que les mayas développèrent

—Le tissage
—L'orfèvrerie
—La mosaïque
—Le théâtre
—La littérature

et. autres etceteras.

LA MUSIQUE
et que ça swingue!

La musique maya utilise cinq tons, comme celle des peuples antiques...

Lucy in the sky with diamonds? J'sais pas si j'la sais.

La musique maya a plus de rythme que d'harmonie, elle est intimement liée au chant et à la danse.

Ils utilisaient beaucoup d'instruments à vent!

Surtout à cause de la chaleur qu'il fait en avril et mai.

Ils avaient des trompettes longues et minces.

Et aussi des escargots marins, produisant un son à vous hérisser le poil.

Des ocarinas, des sifflets et encore bien d'autres instruments comme les grelots en cuivre, les racloirs d'os ou de coquillage et les tambourins fait dans des fruits secs, en forme de globe ou en terrecuite.

Faites sonner les tambourins!

Ils avaient aussi des instruments

ZACATLÁN

Pour le TAM-TAM ils avaient le Zacatlán.

Le Zacatlán était une sorte de grand tambour (parfois de plus d'un mètre de haut) à une seule ouverture et fait dans un tronc creux.

Fait en général dans un tronc de zapote, avec deux incisions en forme de H sur la partie supérieure — chacune avec un son différent, d'une telle résonnance qu'on l'entendait de très loin.

Pour le TUM-TUM, le Tunkul.

Nous avions aussi la Carapace de Tortue que l'on frappait avec des bâtons ou des bois de cerf.

> Merde! Le rein... j'trouve pas le coeur.

LES (GULP) SACRIFICES

Les mayas avaient toujours pratiqué le sacrifice mais la chose s'amplifia sous l'influence des Mexicas venus de Tula.

> Facile. Tu ouvres la poitrine et tu retires le manche.

Les victimes étaient presque toujours des prisonniers de guerre, en particulier des personnages distingués.

> Notez bien qu'on trucidait aussi les esclaves, les enfants et tout ce qui passait par là.

Les esclaves étaient sacrifiés
lorsque leurs maîtres le décidaient,
les enfants lorsque leurs parents
les offraient ou s'ils étaient vendus
par des kidnappeurs, lesquels
avaient pour office de chercher des
victimes. Et il y avait ceux qui se
sacrifiaient volontairement pour
perpétuer leur mémoire.

(Tu parles d'une manière).

Le sacrifice en soi
n'est pas mauvais,
l'ennui c'est d'être
sacrifié soi-même.

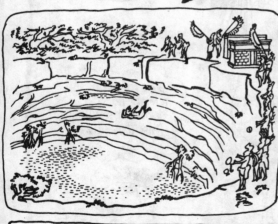

On utilisait beaucoup le style "du plongeon"
qui consistait à jeter les victimes au
fond du cenote de Chichén Itzá.

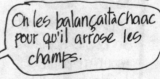

On les balançait à Chaac
pour qu'il arrose les
champs.

On jetait également des gens
dans le cenote afin de calmer
la colère de certain dieux
et de connaître leurs
desseins grâce aux
témoignages d'un survivant
possible.

LES RITES FUNERAIRES

Les enterrements et les rites funéraires allaient de paire avec la condition sociale et économique du mort.

CHILAM BALAM est mort!

A combien s'élève son patrimoine liquide gravable?

Lorsqu'un seigneur de haute lignée mourait on le brûlait jusqu'à l'os et on gardait ses cendres...

On lui sacrifiait aussi deux ou trois esclaves.

S'ils ont servi ici-bas ils devraient servir dans l'au-delà.

Que les vivant jouissent et que les morts se pourrissent.

Quand un maya mourait, avant de l'ensevelir on mettait de la pâte de maïs moulu (KEYÉN) dans sa bouche pour qu'il ne meurt pas de faim pendant le voyage.

Du maïs pour la plèbe et pour nous de petites pièces de jade.

On enterrait les plèbeiens dans le jardin ou sous le sol de la maison, laquelle était abandonnée illico par les survivants que la mort terrorisait.

Tout ce tapage pour en finir ici.

L'AGRICULTURE

La culture du maïs était pour les mayas une activité presque religieuse.

CHAAC

Tout dépend du vieux.

Les techniques de culture étaient primitives: comme il n'y avait aucune méthode d'irrigation artificielle les récoltes dépendaient exclusivement des pluies (de monsieur Chaac, pour être clair).

On commençait par la **coupe** du bois...

ATTENTION LA DESSOUS!

...Qui avait lieu en hiver, de décembre à février.

Tout doux avec l'écologie messieurs.

Fin mars ou début avril, quand le bois coupé était sec, on **brûlait** les champs.

Le BRÛLAGE!!

Fin mai ou début juin, lorsque venaient les pluies, on commençait à semer.

Et avec ce soleil qui nous cuit

On utilisait ce bâton dont la pointe affilée ou de cuivre s'appelait **XUL**.

A l'aide du fameux XUL on creusait des trous dans lesquels on déposait quelques grains de maïs mêlés à des graines de courge ou de haricot.

Quand les récoltes commençaient à pousser on arrachait les mauvaises herbes.

Quand c'est qu'on mange?

Quand le maïs était mûr on pliait les tiges pour protéger l'épi de l'humidité.

La récolte du maïs se faisait en temps voulu.

"On gardait" ça fait beaucoup de gens.

On gardait le nécessaire pour la consommation immédiate et on rangeait le reste.

L'année suivante on utilisait la même terre, on brûlait les tiges et on coupait les broussailles. Ceci se répétait pendant 3 ou 4 ans, ensuite on abandonnait la terre.

Moi aussi je fatigue!

On cherchait un autre joli petit lopin et on répétait l'opération.

Total c'est pas la terre qui manque.

Il fallait changer de terrain car peu à peu la récolte diminuait et la terre s'appauvrissait.

Y aurait même pas eu de tortillas pour tromper la faim.

GRAUNCH

Le maya ne vit pas seulement de maïs

On cultivait aussi

• Le haricot noir- (XCOL, TZAMA)
• Le piment- (IX)
• La chaya - (CHAY)
• La tomate - (P'AC)
• La patate douce- (IZ)
• La jicama - (CHICAM)
• La courge- (KUN XCÁ)
• La yuca - (TZÍN)
Et les arbres fruitiers?
• L'avocat- (ON)
• L'anona - (OP)
• La prune - (ABAL)
• Le nance - (CHI)
• La papaye -(PUT)
• Le zapotillo -(YA)
• La uayo- (UAYUM)

L'ALIMENTATION

Vous avez compris quel était l'aliment de base?

Une fois de plus: Monsieur, l'aliment de base des mayas était le MAÏS

L'alimentation était complétée par la viande de certains animaux.

A SAVOIR:

- Le dinde (TZÓ).
- La tourterelle (MUCUY)
- Le pigeon (TZU TZUY).
- Le canard (CUTZHA)
(Et une race de chiens chauves).

On chassait aussi:

- Le chevreuil (Et le faisan bien sûr).
- Le sanglier (KITAM).
- Le lapin (THUL).
- Le tatou (UECH).
- La caille (BEECH).
- Le cox
- Le tepescuintle
- La dinde sauvage
- et tout ce que l'on trouvait.

Les chasse n'étaient pas un jeu de hasard, elles étaient trés organisées.

La bête est a celui qui l'a chassée.

Eh bien non! Elle était partagée entre tous les chasseurs, jusque là ce serait assez social si ce n'était que...

Et le Batab, et les Prêtres alors?

Il fallait leur donner une part de l'animal en guise d'impôt. (T'imagines un peu).

Moi c'est l'estomac que j'aime!

Celui qui chassait un chevreuil ou un sanglier gardait la partie qu'il préférait et le reste allait aux autres.

Lorsque la chasse était bonne ils badigeonnaient leurs idoles de sang, dans le cas contraire ils les flagellaient.

Pas même un petit cheyreuil... tu vas déguster!

Ils appréciaient le poisson qu'ils consommaient en quantité industrielle. Les graines de courge étaient importantes dans la diète maya.

La courge c'est la graisse pure.

On utilisait aussi beaucoup de miel, surtout dans la préparation d'une liqueur fermentée que l'on consommait lors des rituels.

Le BALCHÉ !

BALCHÉ

Passe-moi la sauce.

Lors des banquets rituels les mayas mangeaient et buvaient comme des dingues mais dans leur vie quotidienne ils étaient sobres et mesurés.

Encore

Le maïs s'utilisait pour faire:

des tortillas (UAH)
de l'atole (ZA)
du pozole (KEYEM)
des tamales (MUXUBAAK).

Au lever du jour les mayas buvaient du maïs dissous dans de l'eau chaude.

Avec du sel et du piment.!

Parfois ils buvaient une boisson de pinole ou maïs grillé, moulu et dissous dans de l'eau.

Les tortillas? Pour la plèbe.

Nous, on déjeune avec du cacao.

Pendait le travail, sous un soleil de plomb, ils buvaient du pozole dissous dans l'eau.

De retour au foyer, sweet home, ils prenaient leur repas unique (à la fois déjeuner et dîner) qui consistait en des tortillas avec du sel et du piment, des haricots bouillis et de la purée de courge.

LA PRODUCTION

Envoyez la monnaie !

L'une des plus importante source de revenu était le **SEL** utilisé pour la consommation interne et pour l'exportation.
Il était vital pour l'économie maya.

Avec le sel on conserve la viande et on paie les impôts.

Les salines étaient de propriété commune.

Commune ? Et la part donnée aux chefs alors ?

Pour le tissu les plantes utilisées étaient:
- Le coton (TAMAM)
- La ceiba (YAX CHE)
- Le pochote (CHO OPIIN)
- Le sisal (KÍ).

On faisait le papier avec l'écorce du COPO.

Avec le caout-chouc du zapote on faisait de la gomme à mâcher et avec celui du POM des résines aromatiques.

Autre production d'importance, le **MIEL** d'abeille, que l'on tirait des abeilles, c'est clair !

LE COMMERCE

Pour nos célèbres mayas le commerce était (comme partout) important.

D'abord le commerce terrestre pour lequel on utilisait des porteurs ou **TAMEMES**.

Puis le commerce maritime avec des régions aussi éloignées que Tabasco, Veracruz et le Honduras.

Pour les négociations on utilisait le **TROC** mais aussi des graines de cacao, des perles de jade, et des coquillages rares, aussi rares que l'argent qui circule de no jours, mec!

On importait (quand il n'y avait pas de blocus) du jade, des plumes, d'l'or, du verre, des métaux, des coquillages et de la céramique.

Ni graines, ni coquillages dévalués- parle -moi plutôt de dollars!

Avec le Guatemala on échangeait du cacao contre des esclaves, du sel, du miel et du tissu.

Il y avait toutes sortes de commerçants, les richards de la noblesse, les préoccupés (continuellement stressés) et ceux qui survivaient (pleins de dettes)... et ceux qui faisaient faillite (pleins de terre).

LE DROIT

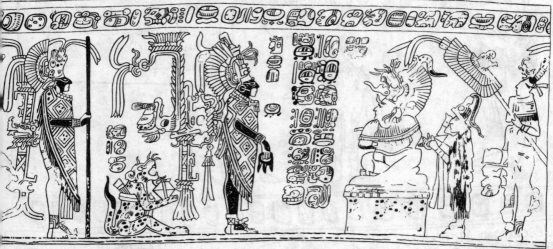

Appelé par les mayas le droit usuel parce qu'il était fondé sur les us et coutumes.

La question était "psycho-rigide": Il y avait des délits que l'on payait de la vie.

Les procès, jugements, contrats et autres etceteras étaient ORAUX et y prenait partie des juges, des défenseurs et des témoins.

Les juges recevaient des présents des parties en procès.

Mais (on dit) ils étaient malgré tout impartiaux.

17 coups de poignard mais sans intention.

On distinguait les délits commis avec "Préméditation, trahison et profit" et les délits sans cause.

Il n'y avait pas de prison et les coupables étaient condamnés à mort ou aux travaux forcés.

L'esclavage était une sanction légale. On pouvait remettre le coupable entre les mains de l'offensé, même en cas d'homicide. La loi était basée sur la vengeance et non sur la Protection de la société.

Oeil pour oeil, dent pour dent, bon dieu.

Personne n'était arrêté pour dette. -pas de crédit-

Les parents de l'endetté devaient payer ses dettes.

On obligeait les voleurs à rendre leur butin (ou quelque chose de la même valeur) à défaut il était réduit en esclavage.

L'adultère, la trahison, l'incendie, le viol et le meutre c'était la peine de mort assurée.

On attachait les mains des prisonniers à leur épaules et on leur mettait un collier.

← Raser le crâne du délinquant était un châtiment dégradant.

LES COUTUMES

fais dodo, câlin mon p'tit frère.

Ils trouvaient cela beau (à chacum son truc) c'est ce qu'on appelle une "déformation crânienne."

4 jour après sa naissance on l'exécutait.

Je sais pas pourquoi on m'appelle "Tête de mangue"

Ils trouvaient également sublime que les enfants soient bigleux. Ils attachaient des boules de résine après leurs cheveux ce qui les obligeaient à loucher...

Arreu!

LES VÊTEMENTS

• Styles d'EX ou culottes mayas.

Les vêtements des hommes comprenaient:

L'EX

C'était une bande de tissu en coton, de cinq doigts de large, qu'ils s'enroulaient autour de la taille, laissant pendre les deux extrémités

Et pour aller aux W.C.

Le XICUL

C'était une sorte de veste sans manches, aux couleurs criardes, parfois rehaussée de broderies et de plumes.

Le SUYÉN ou PATÍ

C'était un carré de tissu qu'ils se passaient sous le bras droit et s'attachaient sous le bras gauche.
Les pauvres s'enservaient de drap.

Hum! Plouc, en fin de compte.

ZZZ

> je donnerais mon âme pour un bikini

HUIPIL

PIC

Les femmes portaient: LE **HUIPIL**, un carré de tissu long et large ouvert sur les côtés

Le **PIC** (ou eneau) qu'elles portaient sous le huipil.

Elles utilisaient aussi des soutiens-Gorges fait d'une bande de coton qu'elles s'atta--chait sous l'aisselle et qui soutenait leurs seins.

Les hommes et les femmes utilisaient les **XANAB** ou sandales en peau de cerf. Il y en avait de toutes les tailles et de toutes les formes (suivant le prix).

> Nous sommes arrêtés par la coiffe.

Les coiffes étaient des parures dénotant un haut lignage. La base, d'osier, était recouverte de plumes.

N'est-il pas chic?

Je beux bas resbirer.

ADORNOS

On se perçait le nez afin d'y colloquer une pierre d'ambre

Dans ce même trou "nasal" on s'enfilait de précieuses boucles de nez

Des caries? Mais non idiot c'est de l'obsidienne.

Ne confondez pas, je vous prie.

Ils s'incrustaient tout un patrimoine économique de jade, d'ambre et d'obsidienne dans les dents. (Qu'ils limaient parfois en dents de scie).

Hommes et femmes se perforaient le lobe de l'oreille afin d'y mettre des boucles.

On se peignait en bleu lors des cérémonies

Pour les jeûnes le rouge et le noir étaient de rigueur.

← Un maya n'ayant pas réussi à se dénoircir.

> Et les noms?

Le processus du nom se faisait en quatre étapes:

1. PAAL KABÁ

> Tu t'appelles Juan'cho, un point c'est tout

C'était ce qui représente pour nous le prénom.

Pour ce nom-là on utilisait des noms d'animaux ou de plantes.

> Bourricot Rodríguez par exemple.

À ce premier nom qui pouvait être **CHUY** (épervier) ou **KEH** (cerf) on ajoutait le préfixe **AH** si c'était un garçon, **IX** ou **X** si c'était une fille, et pour finir on ajoutait le nom du père.

> Ça donnait des noms genre:
>
> **AH CHUY MAY** (épervier).
> **AH KEY HUCHIM** (cerf).

2. NAAL KABÁ

Après le mariage les mayas changeaient leur PAAL KABÁ pour le NAAL KABÁ dans lequel le mot **NA** –qui signifie mère– suit le nom commun et ensuite vient le nom paternel.

Mon nom? D'homme marié ou de célibataire?

- NACHI COCOM
- NA POOT XIU
- NA CHAN CHEL

(nom commun) (nom du père)

3. COCO KABÁ

Ce n'était ni plus ni moins que le surnom.

Mamelle noire!

EXEMPLE:
- AH XOCHIL ICH
(Tête de chou)

4. NOM PROFESSIONNEL

C'était le nom du métier que le type exerçait

PAR EXEMPLE:

- CHILAM BALAM
(Le prophète tigre).

- AH KIN CHI
(Le prêtre Chi).

Avec ceci nous tirons la dernière pierre de ces "Mayas en Ruines", pierres entre lesquelles l'auteur a marché —pieds nus en plein soleil— afin de vous rappor- ter —patient lecteur— un récit sommaire de ce que fut (et continue à être) ce peuple grandiose de faisans et de cerfs (même s'il ne reste plus aucun cerf et encore moins de faisans).

Il ne nous reste plus qu'à prendre congé et pour le faire dans les règles, nous citerons les dernières paroles de l'esclave AH TZAB KUMUN à son maître, quelques secondes avant qu'on ne lui tranche la langue :

U XUL IN T'AN LA

" Ceci est la fin de mes paroles"

Et des miennes aussi

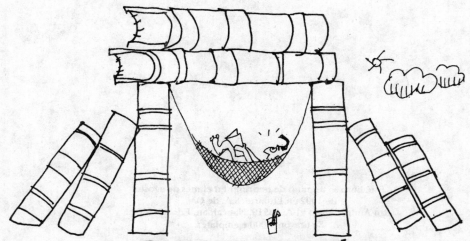

BIBLIOGRAFÍA

- CANTO LOPEZ ANTONIO
  APUNTACIONES SOBRE MESOAMÉRICA /
  UNIVERSIDAD AUTÓNOMA DE YUCATÁN.

- CASTILLO PERAZA CARLOS
  HISTORIA DE YUCATÁN
  EDICIONES DANTE / MÉRIDA, YUC 1.984

- COE MICHAEL D.
  THE MAYA
  THAMES AND HUDSON / LONDON 1.984

- GALLENKAMP CHARLES
  LOS MAYAS
  EDITORIAL DIANA / MEXICO 1.976

- MORLEY SYLVANUS
  LA CIVILIZACIÓN MAYA,
  FONDO DE CULTURA ECONÓMICA / MEX. 1985

- SODI DEMETRIO
  LOS MAYAS
  PANORAMA / MEXICO / 1982

- THOMPSON J. ERIC
  GRANDEZA Y DECADENCIA DE LOS MAYAS
  FONDO DE CULTURA ECONÓMICA / MEX 1985

- THOMPSON J. ERIC
  HISTORIA Y RELIGIÓN DE LOS MAYAS
  SIGLO XXI / MÉXICO 1.985

- TURNER WILSON
  MAYA DESIGN
  USA / 1.980.

Este libro se terminó de imprimir en el mes de agosto
de 1992 en Litoarte, S.A. de C.V.,
San Andrés Atoto 21-A; 53519, Naucalpan, Edo. de Méx.
Se tiraron 1 000 ejemplares.